Garfield

ALBUM GARFIELD #70

PRESSES AVENTURE

© 2016 PAWS, Inc. Tous droits réservés.
© 2016 Presses Aventure inc

www.garfield.com
Garfield et les autres personnages Garfield sont des
marques déposées ou non déposées de PAWS, Inc.

Presses Aventure inc.
55, rue Jean-Talon Ouest
Montréal (Québec) H2R 2W8
CANADA
groupemodus.com

Publié pour la première fois en 2016 sous le titre *Garfield Chickens Out* par
Ballantine Books, une division de Random House Publishing Group.

Président-directeur général : Marc G. Alain
Directrice éditoriale : Marie-Eve Labelle
Traducteur : Jean-Robert Saucyer

Dépôt légal – Bibliothèque et Archives nationales du Québec, 2016
Dépôt légal – Bibliothèque et Archives Canada, 2016

ISBN 978-2-89751-257-6

Nous reconnaissons l'aide financière du gouvernement du Canada par l'entremise du Fonds
du livre du Canada pour nos activités d'édition.

Gouvernement du Québec — Programme de crédit d'impôt pour l'édition de livres —
Gestion SODEC

Imprimé en Chine

SURPRISE!

C'EST LA JOURNÉE DE RECONNAISSANCE ENVERS LES CLIENTS!

VOUS AVEZ DROIT À UN BALLON PARCE QUE NOUS AVONS ENFIN PASSÉ LA VISITE DE L'INSPECTEUR SANITAIRE

UN TEE-SHIRT «J'AIME LA VIANDE NON IDENTIFIÉE»

J ♥ la viande non identifiée

ET QUELQUE CHOSE DE PARTICULIER...

UN ANTIACIDE QUI FAIT EFFET TOUTE LA JOURNÉE!

JE NE ME SENS PAS BIEN...

PARFOIS, LES CHOSES TOURNENT EN MA DÉFAVEUR

IL Y A UN MOT QUI EXPLIQUE CELA

«VIVRE»

VOILÀ QUI EST NOUVEAU

IL Y AVAIT UN ÉCRITEAU ICI MÊME, LA SEMAINE DERNIÈRE...

«ATTENTION! CHUTE DE ROCHERS»

GARFIELD, ENTENDS MON APPEL...

C'EST MOI, LA LASAGNE!

NAN!

LE PAIN DE VIANDE EST CRUEL

HEM

EUF

UN NOUVEAU JOUR VIENT DE SE LEVER

JE SUIS TOMBÉ DANS LE VIEUX PUITS!

SI SEULEMENT IL Y AVAIT UN CHAT POUR ME SAUVER!

TOMMY A DÛ ATTERRIR SUR LA TÊTE

JON AFFIRME AVOIR UNE ANNONCE IMPORTANTE À FAIRE

COMME SI ÇA M'IMPORTAIT...

JE SUIS PASSÉ DE L'ACOUSTIQUE À L'ÉLECTRIQUE!

RECTIFICATIF : ÇA M'IMPORTE UN PEU

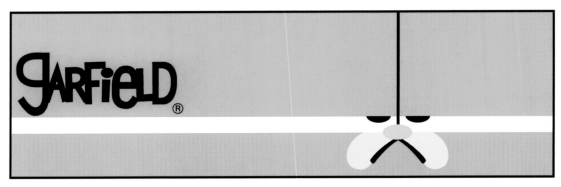

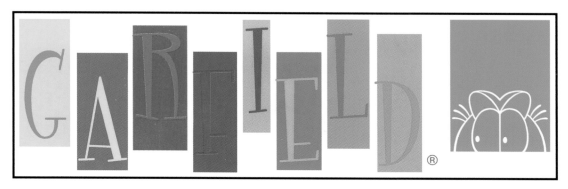

ON DIT DANS CET ARTICLE QUE L'ON PEUT BEAUCOUP APPRENDRE D'UN CHAT

TU DEVRAIS T'Y METTRE

GULP! CHOMP! SNARF!

BURRRP

Z

JE LUI AI TOUT APPRIS

JIM DAVIS 7-28

UN GAMIN M'A ARRÊTÉ DANS LA RUE

IL M'A DEMANDÉ SI J'ÉTAIS VIEUX

J'AI NOUÉ LES LACETS DE SES CHAUSSURES

TU AS ENCORE DE BONNES ANNÉES DEVANT TOI, L'AMI

BIP

J'AI REÇU UN TEXTO

«ÇA ME PIQUE»

L'OREILLE DROITE

LES CHATS SAVENT PLEIN DE CHOSES

PAR EXEMPLE, JE PEUX VOUS DIRE QU'ODIE VIENT DE CREUSER UN TROU

COMME SI J'ÉTAIS MÉDIUM!

JiM DAViS 7-29

JiM DAViS 7-30

JiM DAViS 7-31

JE PARIE QUE SI JE FAIS DE BEAUX YEUX À LIZ, ELLE ME DONNERA DES GÂTERIES

ELLE EST DOUÉE

JIM DAVIS 8-4

FASCINANT!

QUELQUE CHOSE NE VA PAS DANS MA FAÇON DE FAIRE

AUJOURD'HUI, NOUS AVONS ENVOYÉ UN CHAT DANS L'ESPACE

NOUS N'AVIONS AUCUN MOTIF SCIENTIFIQUE POUR LE FAIRE...

MAIS IL Y A UN CHAT EN MOINS SUR LA PLANÈTE!

CELA NE PRÉSAGE RIEN DE BON

COMMENÇONS LA SÉANCE DE MUSCU!

J'AI ACHETÉ UN JEU DE POIDS ET HALTÈRES

AÏE! JE NE PARVIENS PAS À LES SORTIR DE L'AUTO!

AINSI SE CONCLUT LA SÉANCE DE MUSCU!

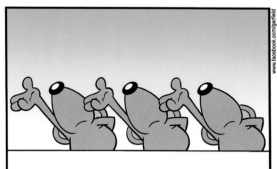

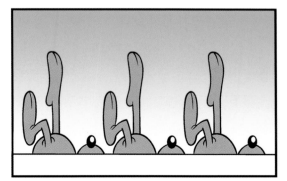
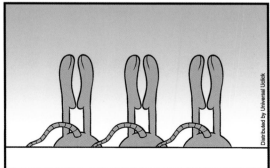

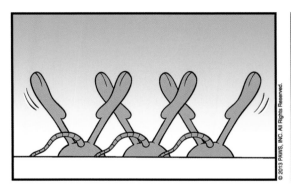

GARFIELD, TU NE CROIRAS JAMAIS...

QU'Y A-T-IL?!

EXCUSE-MOI. ON M'ATTEND AU BLOC OPÉRATOIRE

JE NE SUIS PAS ENNUYEUX!

ALLÔ?

ALLÔ?

ALLÔ?

AU MOINS UNE FOIS PAR SEMAINE, JON ESSAIE DE FAIRE UN APPEL AVEC LA TÉLÉCOMMANDE

ALLÔ?

VOICI LE MARCHAND DE GLACES QUI S'AMÈNE

IL ARRIVE PILE

BILLY-LA-BRIQUE VEUT UN ESQUIMAU

BON, D'ACCORD,
TU PEUX TE BAIGNER
AUSSI

MAIS AVEC UN
SEUL JOUET POUR
LA PISCINE!

VOICI MAINTENANT LE BULLETIN MÉTÉO *BI-DI-DI-DI-DI* DESTINÉ AUX FÉLINS

JE NE SORS PAS DE LA MAISON, ALORS LA MÉTÉO NE M'IMPORTE PAS

C'ÉTAIT LE BULLETIN MÉTÉO *BI-DI-DI-DI-DI* DESTINÉ AUX FÉLINS

NOUS DEVRIONS FAIRE UNE BALADE EN AUTO, GARFIELD

NOUS POURRIONS ALLER À LA CAMPAGNE

ET REGARDER UNE VACHE!

À POINT OU BIEN CUITE?

AIMERAIS-TU POUVOIR FAIRE COMME MOI?

WHACK!

SPLAT!

ÇA ME SEMBLE RISQUÉ

JE NE TE LE FAIS PAS DIRE!

J'AIMERAIS QUE TU PUISSES PARLER, GARFIELD

NOUS POURRIONS VRAIMENT COMMUNIQUER

NOUS POURRIONS DISCUTER, ÉCHANGER DES IDÉES

JE ME DEMANDE QUELLES SERAIENT TES PAROLES DE SAGESSE EN CE MOMENT MÊME. QUE DIRAIS-TU?

CLOP

GARFIELD

ON EXAGÈRE L'IMPORTANCE DES MOTS

ILS ENTRAVENT LA COMMUNI-CATION

GARFIELD

JIM DAVIS 9-1

M. ARBUCKLE, VOICI MA FACTURE POUR AVOIR NETTOYÉ VOTRE FRIGO

POURQUOI UNE TELLE SOMME?

J'AI PERDU DEUX DE MES MEILLEURS EMPLOYÉS LÀ-DEDANS

ILS NE SONT PAS DE TAILLE POUR AFFRONTER LE PAIN DE VIANDE

JIM DAVIS 9-5

VRAIMENT, LIZ, J'ADORE LES ANIMAUX

JIM DAVIS 9-6

MÊME LES GROS PARESSEUX QUI SONT RÉPUGNANTS

J'AI ENTENDU

J'AI ENVIE DE MORDRE QUELQU'UN!

LES CHAUSSETTES N'ONT PAS DE DENTS

ALORS, JE VAIS PEUT-ÊTRE ME PELOTONNER À L'INTÉRIEUR D'UNE CHAUSSURE

ÇA FERA L'AFFAIRE

JIM DAVIS 9-7

CESSE IMMÉDIATEMENT! HA! HA! HA!

HA! HA! HA! ARRÊTE! HI! HI! HI!

J'AI FINI DE ME CHATOUILLER

S'IL TE PLAÎT, RÈGLE LA FACTURE DU CÂBLE

SIR ISAAC NEWTON A DÉCOUVERT LA GRAVITÉ

BONG!

PEU AVANT DE DÉCOUVRIR LES ACTIONS EN JUSTICE!

C'EST ÉTRANGE

UN PARFAIT ÉTRANGER VIENT DE ME FAIRE UN CÂLIN

CE DOIT ÊTRE LA JOURNÉE INTERNATIONALE DES CÂLINS

EN FAIT, C'EST LA JOURNÉE-INTERNATIONALE-POUR-VÉRIFIER-SI-ON-A-ENCORE-SON-PORTEFEUILLE

GARFIELD, JE PASSE À CÔTÉ DE LA VIE

JE N'AI PAS UN CERCLE D'AMIS FUTÉS...

QUI PEIGNENT LEURS CORPS ET SE DONNENT DES COUPS DE TÊTE...

TROP DE PUBLICITÉS POUR LES SPORTS D'ÉQUIPE

SELON TOI, JON, QUE NOUS RÉSERVE L'AVENIR?

LE DÎNER

JE VEUX DIRE PAR LA SUITE

LE DESSERT!

LES GENS BRANCHÉS NE SUIVENT PAS LES TENDANCES, GARFIELD

ILS LES LANCENT!

MA CHEMISE EST RENTRÉE DANS MON CALEÇON BOXEUR!

JE PRÉVIENS LA POLICE DES TENDANCES

SLURP...

BOUM!

QU'EST-CE QUE C'ÉTAIT?!

OÙ DONC SE TROUVE ODIE?

TU VEUX DIRE LE «CANIDÉ CANON»?

GRATT GRATT GRATT
GRATT GRATT GRATT
GRATT GRATT GRATT
GRATT GRATT GRATT
GRATT GRATT GRATT

VOILÀ

JE ME
DEMANDE OÙ
SE TROUVE
GARFIELD

PROUF!

VOIS LE MONDE QUI NOUS ENTOURE, GARFIELD

JE NE...

LE MONDE N'EST PAS PETIT

SUIS PAS...

MAIS À CÔTÉ DE TOI, ON LE DIRAIT!

GROS

JE SUIS ALLÉ CHEZ LE MÉDECIN

IL M'A DIT DE PERDRE QUELQUES KILOS

TU DEVRAIS MONTRER UN PEU DE COMPASSION!

JE SANGLOTE AU-DEDANS DE MOI

ENTENDU : NOUS FERONS TOUS LES DEUX UN RÉGIME

NOUS NOUS MOTIVERONS L'UN L'AUTRE

QUE DIRAIS-TU D'UN MOT D'ENCOURAGEMENT?

OUAIS! À TABLE!

43

GARFIELD, TU SAIS CE QU'IL Y A DE BIEN QUAND ON FAIT UN RÉGIME?

ON DÉAMBULE DANS LES RUES...

ET LES GENS CRIENT : «HÉ VOUS, LE GRAND MINCE!»

IL DOIT PARLER D'UNE ESPÈCE DE SOCIÉTÉ SECRÈTE

J'AI ACHETÉ UN PÈSE-PERSONNE, GARFIELD

QUI N'A PAS BESOIN DE PILES

IL FONCTIONNE À L'ÉNERGIE SOLAIRE!

BONJOUR, GROS LARD

JE DOIS MASQUER LE SOLEIL

TU FAIS UN RÉGIME DEPUIS UNE SEMAINE, GARFIELD

ET TU AS PRIS UN KILO ET DEMI

TU PEUX M'EXPLIQUER?

J'AI BOUFFÉ LE LIVRE SUR LE RÉGIME

JE SAIS LIRE CE REGARD. TU MIJOTES UN MAUVAIS COUP, N'EST-CE PAS?

SINON, TU AS DÉJÀ FAIT QUELQUE CHOSE DE RÉPRÉHENSIBLE, ET C'EST SÛREMENT QUELQUE CHOSE DE TERRIBLE

UNE CHOSE AFFREUSE ET CHOQUANTE QUE JE RISQUE DE DÉCOUVRIR PAR HASARD D'UN INSTANT À L'AUTRE!

WOUOUAAAHHH!!!

VOILÀ QUI ÉTAIT AMUSANT...

JIM DAVIS 10-6

JE DEVRAIS AVOIR LES DENTS TACHÉES D'ÉPINARDS PLUS SOUVENT

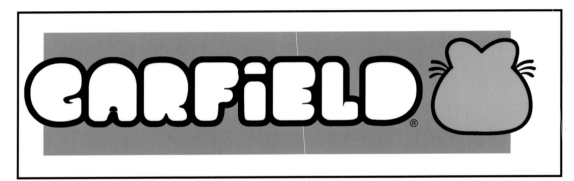

J'AI RÊVÉ DE NOUS DEUX LA NUIT DERNIÈRE, GARFIELD

NOUS PIQUE-NIQUIONS DANS UN JOLI VALLON VERDOYANT...

SOUDAIN, UN OURS GÉANT A SURGI POUR VOLER NOS SANDWICHES!

ALORS, TU ES PASSÉ À L'ACTION. TU L'AS COMBATTU À PATTES NUES, TU M'AS PRISE DANS TES BRAS ET M'AS PORTÉE EN LIEU SÛR!

N'EST-CE PAS ROMANTIQUE?

EUH, MAIS...

À QUOI ÉTAIENT LES SANDWICHES?

JIM DAVIS 10-13

EUF

LE MOMENT DE REFAIRE LE PLEIN

JiM DAViS 10-20

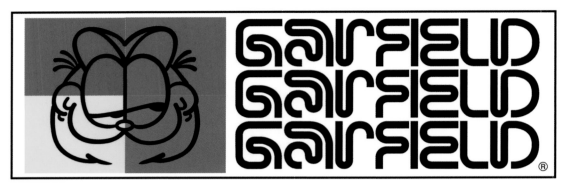

JE PEUX ÊTRE AUSSI MIGNON QUE TOI, NERMAL

VRAIMENT? ALORS, PROUVE-LE!

REGARDE-MOI BIEN

AHHHHHHHHHH

PAUVRE PETIT. AS-TU AVALÉ UNE SOURIS MALADE?

JIM DAVIS 10-27

TU DISAIS?

ÉTOUFFE-TOI AVEC UN ARC-EN-CIEL

Garfield

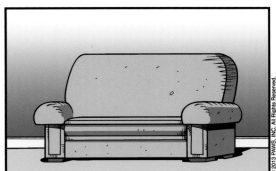

JIM DAVIS 11-3

IL FAIT FROID, IL VENTE ET IL PLEUT À L'EXTÉRIEUR

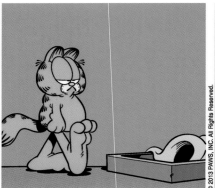

IL FAIT STUPIDE À L'EXTÉRIEUR

LA TECHNOLOGIE ÉVOLUÉE EST UNE CHOSE MERVEILLEUSE

J'AI OUBLIÉ COMMENT FAIRE POUR ALLUMER L'ORDINATEUR!

MAIS ELLE NE REMPLACERA JAMAIS LES BONS VIEUX ABRUTIS À L'ANCIENNE

!FUOW

!FUOW !FUOW !FUOW !FUOW !FUOW !FUOW

!FUOW !FUOW !FUOW

ODIE, CESSE D'ABOYER DEVANT LA GLACE

BUUUUUUURP!

GLOU GLOU GLOU GLOU
GLOU GLOU
GLOU GLOU

COLA

BURRRR AAAAAP

TOUT N'EST PAS UNE COMPÉTITION, TU SAIS!

DIT LE PERDANT

JIM DAVIS 11-10

GARFIELD, NOUS SOMBRONS DANS LA ROUTINE

NOUS DEVONS REDONNER DU PIMENT À L'EXISTENCE

JE VAIS CHANGER TON NOM POUR MISTIGRI

L'HEURE DES GRIFFES A SONNÉ

UN CHAPEAU DONNE DE L'ALLURE À CERTAINS HOMMES

JE ME DEMANDE CE QU'ELLE A VOULU DIRE

CERTAINS HOMMES LE SAURAIENT

GARFIELD, VOYONS SI NOUS POUVONS COMMUNIQUER

CONCENTRE-TOI ET CANALISE TON ATTENTION!

JE PERÇOIS UNE FORME DE DÉTENTE...

Z

VOUS AVEZ TROIS NOUVEAUX MESSAGES

PREMIER MESSAGE :

CRICRI
CRICRI
CRICRI
CRICRI
CRICRI
CRICRI

JE PERDS TOUJOURS CE BIDULE!

GARFIELD!

JE L'AI TROUVÉ

JIM DAVIS 11-17

IL Y A LONGTEMPS QUE TU N'AS PAS JOUÉ AVEC MOI

TU AVAIS L'HABITUDE DE ME DONNER DES COUPS TOUTE LA JOURNÉE. À PRÉSENT, TU M'IGNORES!

OH, JE T'EN PRIE...

JE COMPRENDS QUAND ON NE VEUT PAS DE MOI!

JE RETOURNE CHEZ MA MÈRE!

... SA MÈRE?

JIM DAVIS 12-1

GARFIELD, NOUS SOMMES PRÉPARÉS

PRÊTS À AFFRONTER N'IMPORTE QUELLE CATASTROPHE

NOUS AVONS ASSEZ DE GARNITURE AUX ŒUFS POUR PLUSIEURS ANNÉES!

VIVE LES CATASTROPHES!

TANTE ORPHA DISAIT QUE NOËL N'ARRIVE QU'UNE FOIS PAR ANNÉE

PUIS, ELLE AJOUTAIT QU'IL NE FAUT JAMAIS SE TROUVER SOUS LE GUI AVEC UN POULET QUI MUE

ENSUITE, ELLE JOUAIT DES CUILLERS SUR SON FRONT

TANTE ORPHA ENTENDAIT LES CLOCHES DE NOËL DANS SA TÊTE

«C'ÉTAIT UN SOIR DE TEMPÊTE...»

IL N'Y A PAS D'IMAGES

Y A-T-IL UNE TÉLÉCOMMANDE?

LIZ, J'AI ACHETÉ MON SAPIN DE NOËL, MAIS IL EST COUVERT DE RÉSINE

ÇA VEUT DIRE QU'IL VIENT D'ÊTRE ABATTU. OÙ L'AS-TU INSTALLÉ?

POUR L'INSTANT, IL EST DANS LA CUISINE.

PASSE LA CRÈME, ROI DES FORÊTS!

IL NE MANQUE QUE LES CANNES EN SUCRE D'ORGE!

JE VAIS RÉVISER TA LETTRE AU PÈRE NOËL

Cadeaux! Cadeaux! Cadeaux! Cadeaux! Cadeaux! Cadeaux!

C'EST UN PEU RÉPÉTITIF, TU NE TROUVES PAS?

MAIS ÇA VA DROIT AU BUT, TU NE TROUVES PAS?

73

TU AS RAISON. J'AI À NOUVEAU CACHÉ TON CADEAU

ET CETTE FOIS, J'AI...

ARRÊTE, VEUX-TU?

SOUS LE LIT... QUEL CLICHÉ!

POURQUOI NE CACHES-TU PAS LE CADEAU DE GARFIELD SUR LE DESSUS DE TON APPAREIL D'EXERCICE? IL NE CHERCHERA JAMAIS LÀ

CET APPAREIL AUQUEL TU PENDS TES CHEMISES

OH, ÇA!

OUI, MAMAN. JE CROIS POUVOIR DIRE QUE LIZ ET MOI, C'EST DU SÉRIEUX

SÉRIEUX COMMENT?

ELLE M'OBLIGE À FAIRE LE MÉNAGE

QU'ON FASSE VENIR UN CURÉ!

FAITES PLACE À UN CHAT ADORABLE!

TU AS OUBLIÉ DE RONRONNER

JE T'ENVERRAI LES RONRONS EN FICHIER AUDIO

JIM DAVIS 12-30

L'HEURE DES BILANS FINIT TÔT OU TARD PAR SONNER

JE SUIS GÉNIAL!

J'AURAIS DÛ FAIRE CELA IL Y A LONGTEMPS

JIM DAVIS 12-31

CHACUN DE NOUS A DES DÉFAUTS, GARFIELD

CEPENDANT, CERTAINS EN ONT PLUS QUE D'AUTRES

BEAUCOUP PLUS

EST-CE QUE TU ME PRÉPARES UN COMPLIMENT?

JIM DAVIS 1-1

JON, REGARDE À LA FENÊTRE

HOU... N'EST-CE PAS ROMANTIQUE?

JIM DAVIS 1-12

JE SUIS PLEIN DE VITALITÉ, CE MATIN!

OU, COMME J'AIME À LE DIRE...

JE SUIS TROP PARESSEUX POUR ÊTRE PARESSEUX

JIM DAVIS 1-16

LIZ, JE SUIS UN HOMME DE PRINCIPE

JE N'AI QU'UNE RÈGLE DE VIE

NE JAMAIS INTRODUIRE SA LANGUE DANS UN GRILLE-PAIN

IL APPREND DE SES ERREURS

JIM DAVIS 1-17

QUAND ON CONSOMME DES ALIMENTS SAINS, ON SE SENT PLUS EN FORME

JE VIENS DE MANGER UN BEIGNET

CE QUI EST BEAUCOUP MIEUX QUE DE SE SENTIR EN FORME

JIM DAVIS 1-18